NICKELODEON

DORA L'EXPLORATRICE

Chasse aux trésors

CHERCHE ET TROUVE MC

Illustré par Bob Roper

2005 Viacom International Inc.
Tous droits réservés. Nickelodeon, Dora l'Exploratrice et tous les autres titres,
logos et personnages qui y sont associés sont des marques de commerce
de Viacom International Inc.

Publié par **PRESSES AVENTURE**, une division de
LES PUBLICATIONS MODUS VIVENDI INC.
5150, boul. Saint-Laurent
Montréal (Québec)
Canada H2T 1R8

Dépot légal : 1er trimestre 2006
Bibliothèque nationale du Québec
Bibliothèque nationale du Canada

Traduit et adapté de l'anglais par : Catherine Girard-Audet

ISBN 2-89543-327-5

Hi ! Je suis Dora. Aujourd'hui à l'école, mon professeur *Professor Beatrice* nous a donné un devoir. C'est une chasse aux trésors ! La chasse aux trésors commence ici, dans ma classe. Je dois trouver des objets qui commencent par chaque lettre de l'alphabet. Vas-tu m'aider ?

Babouche va lui aussi nous aider à faire la chasse aux trésors ! Essayons de trouver ces objets dans le terrain de jeu.

Une glissade
One slide

Deux bascules
Two seesaws

Quatre bicyclettes
Four bicycles

Trois balançoires
Three swingsthree

Cinq châteaux de sable
Five sand castles

Sept bâtons de baseball
Seven bats

Six gants de baseball
Six mitts

Huit balles de baseball
Eight baseballs

Neuf ballons de soccer
Nine soccer balls

Dix billes
Ten marbles

Où pouvons-nous trouver le reste des objets inscrits sur la liste de la chasse aux trésors ? Demandons à Carte ! Aide-nous à faire correspondre les endroits où nous devons nous rendre avec les images apparaissant sur Carte.

La ferme de Totor

L'atelier de Tico

Le jardin de Véra

La flaque de boue toute sale

La forêt des Formes

Notre liste de la chasse aux trésors nous indique que nous devons maintenant trouver des formes. Nous pouvons les chercher dans la forêt des Formes. Vas-tu nous aider à trouver ces formes ?

Le rectangle
Rectangle

L'ovale
Oval

Le cercle
Circle

Le carré
Square

Le losange
Diamond

Le triangle
Triangle

Nous devons maintenant trouver des objets qui se déplacent ! Tico possède toujours beaucoup de ces trucs. Vas-tu venir avec nous à l'atelier de Tico, dans la forêt aux Noisettes, afin de trouver ces objets qui se déplacent ?

Une voiture
Car

Un avion
Airplane

Une motocyclette
Motorcycle

Une brouette
Wagon

Une montgolfière
Balloon

Une chaloupe
Rowboat

Nous voulons aller au Jardin Fleuri de Véra, mais nous devons d'abord traverser la flaque de boue toute sale ! Peux-tu trouver ces objets qui nous aideront à la traverser ?

Des échasses
Stilts

Une corde
Rope

Des ressorts
Springs

Un deltaplane
Hàng glider

Une vigne
Vine

Une échelle
Ladder

Nous sommes arrivés au Jardin Fleuri de Véra ! Nous devons maintenant trouver des couleurs. Trouvons des fleurs correspondant à chaque couleur.

Orange
Orange

Jaune
Yellow

Rouge
Red

Bleu
Blue

Violet
Purple

Rose
Pink

Blanc
White

Nous avons presque terminé la chasse aux trésors. Je dois simplement trouver ces animaux de ferme. Vas-tu m'aider à les chercher à la ferme de Totor ?

La vache
Cow

Le cochon
Pig

Le canard
Duck

La chèvre
Goat

Le mouton
Sheep

Le poulet
Chicken

Le cheval
Horse

Le plaisir n'est pas terminé !
Retourne à chacun des endroits visités et cherche ces surprises cachées.

Le terrain de jeu
Cherche ces numéros sur le terrain de jeu :

- [ ] 1
- [ ] 2
- [ ] 3
- [ ] 4
- [ ] 5

La classe de Dora
Essaie de trouver ces objets qui aideront Dora à écrire l'alphabet :

- [ ] Un crayon
- [ ] Un stylo
- [ ] Un crayon de couleur
- [ ] Une craie
- [ ] Un marqueur

La flaque de boue toute sale
Fais attention à Chipeur le renard rusé quand tu cherches ces objets :

- [ ] Des chaussettes
- [ ] Une boîte
- [ ] Des roches
- [ ] Des cubes pour jouer

Carte

Trouve ces autres
endroits et objets qui
sont sur Carte :

☐ Un arbre
☐ Une roche
☐ Un cours d'eau
☐ Une montagne
☐ Une maison

La forêt des Formes

Les étoiles sont
des formes ! Essaie
de trouver ces étoiles :

☐ Étoile violette
☐ Étoile bleue
☐ Étoile rouge
☐ Étoile jaune
☐ Étoile blanche

L'atelier de Tico

Retourne visiter l'atelier
de Tico et tente de trouver
ces autres objets qui
se déplacent :

☐ Une bicyclette
☐ Une paire de patins
   à roulettes
☐ Une planche à roulettes
☐ Un tricycle
☐ Un traîneau

Jardin Fleuri de Véra

Essaie de trouver ces
autres choses colorées
dans le jardin de Véra :

☐ Un arc-en-ciel
☐ De la peinture
☐ Des crayons de couleur
☐ Des ballons

La ferme de Totor

Essaie de trouver
ces autres animaux :

☐ Un chat   ☐ Un lapin
☐ Un chien ☐ Un poisson
☐ Une souris